D1133512

Unidad Lupita

Unidad Lupita

Jaime Alfonso Sandoval

Ilustraciones de Natalia Gurovich

ediciones sm

Sandoval, Jaime Alfonso
   Unidad Lupita / Jaime Alfonso Sandoval ; ilus. de Natalia Gurovich. – México : Ediciones SM, 2012
   72 p. : il. ; 19 x 12 cm. – (El Barco de Vapor. Azul ; 46)

   ISBN : 978-607-24-0568-4

   1. Literatura infantil. 2. Participación comunitaria – Literatura infantil.
   3. Humor – Literatura infantil. I. Gurovich, Natalia, il. II. t. III. Ser.

   Dewey 863 S36

Coordinación editorial: Laura Lecuona
Edición: Federico Ponce de León
Ilustraciones: Natalia Gurovich
Diagramación: Juan José Colsa

Primera edición, 2012
D. R. © SM de Ediciones, S. A. de C. V., 2012
Magdalena 211, Colonia del Valle,
03100, México, D. F.
Tel.: (55) 1087 8400
Para conocer SM, su fondo editorial y sus servicios: www.ediciones-sm.com.mx
Para andar entre, hacia y con los libros: www.andalia.com.mx
Para comprar libros de SM en línea: www.libreriasm.com

ISBN 978-607-24-0568-4
ISBN 978-968-779-176-0 de la colección El Barco de Vapor

Miembro de la Cámara Nacional de la Industria Editorial Mexicana
Registro número 2830

Impreso en México / *Printed in Mexico*

Pelos verdes

Los grandes problemas suelen venir en empaques pequeños. Y nuestro problema comenzó de la manera más diminuta que alguien se pueda imaginar. En la casa apareció un pelo en la sopa. El problema tomó otra dimensión cuando descubrimos que ese pelo era verde y pertenecía a la cabeza de mi hermano Rodrigo.

Una tarde, a la hora de la comida, mi hermano entró en la casa y se sentó a la mesa; parecía muy quitado de la pena, sobre todo si tomamos en cuenta que estaba estrenando cabellera pintada de tono

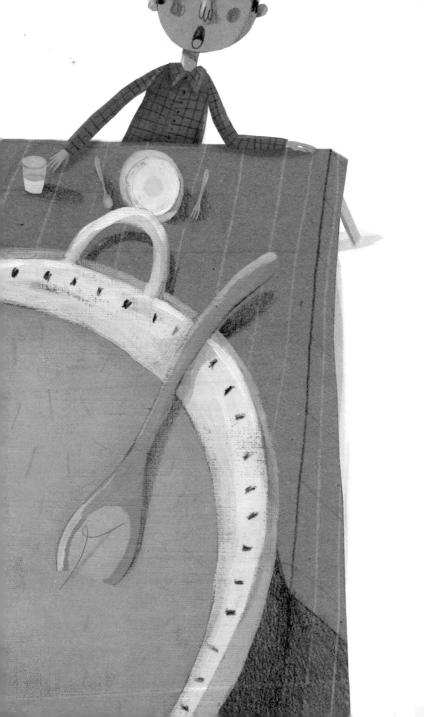

pistache. Para ser sinceros, el color era bonito (por lo menos se veía bien en una alfombra o incluso para pintar un coche), pero a mi mamá, que siempre peca de franca, no le pareció muy agradable ver a su hijo con ese color tan ecológico.

—¿Qué te hiciste? Pareces marciano —preguntó sorprendida.

—Así se usa —respondió mi hermano como si nada—. Además, a mí me gusta.

—Pero, Rodrigo, ¿cómo se te ocurrió hacerte eso? —gimió mi madre y puso los ojos en blanco.

Era evidente que para ella tener un hijo adolescente era como tener un alienígena en casa.

—Además, ya conoces a tu padre —recordó—: no le gusta que hagas esas cosas.

Mi hermano Rodrigo tenía una debilidad especial por "esas cosas", es decir, por la extravagancia. Ya una vez había llegado con un *piercing* en la ceja, y para mi padre fue como ver a su hijo convertido en miembro de una pandilla de ciudad

Neza, listo para ingresar a prisión.

—Eso es cosa de vándalos —le dijo en aquel momento—. ¿Quieres ser como todos esos malvivientes que andan sueltos por aquí?

Mi padre se refería a los chavos de la unidad habitacional que se reúnen en grupos a tomar cerveza en las canchas. No hacen nada más; bueno, sí hacen muchas cosas, pero no precisamente para ganar una medalla. Les gusta romper focos de los pasillos, hacer marcas en las paredes y pegarles un susto a todos los que se atraviesen frente a ellos. Yo supuse que mi hermano quería impresionarlos con su *piercing*.

El discurso de mi padre sobre los peligros de las malas compañías en la unidad duró lo mismo que un informe presidencial, y, claro, al final mi hermano se tuvo que quitar el *piercing* (aunque no lo hizo del todo: se lo cambió a la lengua, para que nadie lo viera, y santo remedio).

Pero ahora el pelo estaba ahí, como una hoguera verdosa que se pudiera ver a doscientos kilómetros a la redonda.

Definitivamente no le iba a gustar a mi padre, pues para él la moda se detuvo hace muchos años. Él cree que luce impecable y moderno con su bigotito, y así sería, siempre y cuando viviéramos en el siglo pasado.

Cuando llegó a la casa, nuestro papá se quedó boquiabierto al ver la cabellera verde de mi hermano Rodrigo. Tardó un rato en reaccionar; luego entró en el cuarto, y cuando salió tenía una navaja en la mano. El filo brillaba igualito que en las películas de terror.

—¡Por favor, Rigoberto! —exclamó mi madre—. No cometas una locura, no es para tanto...

—No seas ridícula, mujer, solo voy a rasurarle la cabeza.

Mi hermano saltó asustado.

—¿Pero por qué? Es mi pelo y puedo hacer con él lo que quiera. Tengo dieciséis años: ya no soy un niño.

—Mientras te siga manteniendo harás lo que yo diga. Por algo soy tu padre.

—No me voy a dejar —dijo mi hermano arrinconándose, dispuesto a defender hasta su último mechón.

—Entonces el castigo será peor —aseguró mi padre mientras agitaba un bote de espuma—: nada de domingos, y olvídate del coche que te prometí para tus dieciocho años. Ah, y tampoco irás de vacaciones con tus primos de Tampico.

Eran demasiadas amenazas. Mi hermano tuvo que reconocer que sería imposible negociar.

—Te lo buscaste —le dijo mi padre, ya

más tranquilo, mientras se disponía a untarle la espuma—. No entiendo por qué haces estas cosas. ¿Por qué no eres como tu hermano?

Y todas las miradas recayeron en mi

persona. Y fue algo raro: normalmente casi nadie me ve. Mi apariencia es de lo más aburrida: lentes, camisas a cuadros y zapatos bien lustrados. Justo todo lo que le repatea a mi hermano. Para él, el peor insulto es que nos comparen. Nuestras relaciones no son precisamente buenas. Baste decir que me llama Nerdeto en lugar de Ernesto.

Justo cuando mi padre iba a dar la primera afeitada, mi madre lo detuvo.

—Espera, Rigoberto, no rasures al muchacho: pelón se va a ver igual de feo que ahora.

—No me digas que prefieres verlo así…

—Claro que no, pero se me acaba de ocurrir una idea —respondió mi madre, que siempre tenía soluciones a la mano (lástima que no trabajara en la ONU)—. Voy a llevarlo con Estelita para que le pongan un tinte oscuro y se vuelva a ver normal.

Estelita era una señora que había montado un salón de belleza en la sala de su departamento, así que uno podía cortarse el pelo, hacerse el *manicure* o ver la tele y comer con sus hijos pan con chocolate.

—Pero, mamá…

Mi hermano guardó silencio. Entre la mirada furiosa de mi madre y la navaja de mi padre no había mucho para elegir. Yo me sorprendía de la capacidad de Rodrigo para meterse en problemas. Ya sé que su pelo verde en realidad no hacía daño a nadie, pero definitivamente él sabía que pintárselo le traería problemas, y aun así lo hizo. No puedo negar que su empeño era en el fondo admirable.

—Va a llover —dijo mi padre mientras mi madre se preparaba para salir—. Y ya sabes que se sale el agua por las coladeras, que están tapadas.

—También salen ratas —le recordé.

—Y acuérdate de que no hay luz en los andadores —dijo mi padre.

—Ya, yo me sé cuidar —aseguró mi madre—. Además, Estelita está a solo seis edificios, y voy con Rodrigo.

Mi madre tomó un paraguas y salió con mi hermano avanzando a empujones. Mi padre guardó la navaja, se recompuso la corbata y se sentó a comer rápidamente. Aún tenía que volver al trabajo.

Apenas se había terminado la sopa de fideos cuando de pronto oímos unos toquidos en la puerta.

—Ahí están de regreso —suspiró mi padre enfadado—. Les dije que no iban a llegar con esa lluvia. Ve a abrir.

Lo obedecí, pero lo que encontré en el umbral de la puerta no eran mi madre y mi hermano el marciano, aunque lo que vi sí parecía un visitante de otro planeta.

Abuela a domicilio

ERA una señora de avanzada edad. Bueno, esa es una manera amable de decirlo: en realidad tenía la apariencia de un diplodocus jubilado. Creo que tenía arrugas dentro de las arrugas. Vestía un blusón bordado al estilo psicodélico y un sombrero con florecillas de plástico. En la mano cargaba una enorme maleta de cuero.

—¿Qué desea? —preguntó mi padre asomándose desde el comedor.

—Soy yo —dijo la mujer sonriendo—. ¿No me reconocen? Soy la abuela.

Mi padre se levantó. Parecía muy sor-

prendido. Miró a la vieja de arriba abajo.

—¿La abuela? No puede ser. Mi mujer me dijo que su madre estaba muerta.

—¿Eso dijo? —la anciana sonrió de nuevo—. ¿Entonces qué hago aquí? ¿Vine a espantar a la gente? Mire, me estoy mojando y no tengo tiempo de discutir si estoy viva o muerta.

Y sin esperar la invitación, la vieja entró en la casa y se sentó a la mesa. Incluso tomó un bolillo y comenzó a mordisquearlo.

—Después de tantos años me imaginaba un recibimiento diferente —confesó la anciana—. Vaya que ustedes son secos.

Mi padre se llevó las manos a la cabeza: un hijo con pelo verde, y de pronto resulta que su suegra vive y la tiene justo frente a él, comiéndose su bolillo. Demasiada tragedia para una sola tarde.

—Tengo que hablar con tu madre —murmuró mi padre—. Me va a explicar algunas cosas. Pásame el teléfono de Estelita.

Mi padre intentó hablar al salón de belleza, pero sonaba ocupado. A los 20 minutos se desesperó, pues se le hacía tarde para volver al trabajo, así que me recomendó:

—Intenta llamar a tu madre y explícale todo. Por lo pronto ayuda a que se instale tu abuela.

Y así fue como me quedé solo con la anciana. Confieso que al principio temí que efectivamente fuera el zombi de mi abuela. Con tanto misterio, todo era posible. ¿Por qué mi madre había ocultado a su propia madre todos estos años?

—¿Cómo te llamas? —me preguntó la vieja.

—Ernesto, señora.

—No me digas *señora,* dime *abuela.* Mira, te traje un regalo.

De una maleta sacó un balón de futbol. Definitivamente no podía ser zombi, pues los zombis no tienen semejantes gestos de bondad. Le di las gracias, pero enseguida le expliqué que difícilmente podría practicar futbol en la unidad, ya que las canchas pertenecían a un gru-

pito llamado los Frutilupis. Y en la otra cancha, donde están los juegos, también están los tiraderos de basura.

—Bueno, limpiamos y les pedimos permiso para que todos puedan jugar —dijo la vieja.

Sonreí. Ojalá fuera tan fácil. En varios años nadie había podido hacer nada.

—¿Cuánto tiempo se va a quedar?

—No lo sé. Pero ¿por qué la prisa? Ustedes son mi familia, así que tal vez me quede para siempre. Ven, acércate, quiero darle un beso a mi nieto.

Afortunadamente me salvó la campana: en ese momento se abrió la puerta. Eran mi madre y mi hermano.

Hice un esfuerzo para no reírme. Rodrigo tenía el cabello de un color indefinido. La mala calidad de los tintes de doña Estelita hizo un efecto muy curioso sobre el original tono verde: parecía que mi hermano llevaba en la cabeza un perro muerto, medio erizado y pardusco. Pero yo estaba más interesado en presenciar una escena telenovelera. Imaginaba que mi madre se echaría a llorar al ver a la suya después de tantos años, pero su reacción fue totalmente distinta.

—¿Y esta señora? —preguntó mi madre con total indiferencia.

—Soy yo, la abuela. ¿No me reconocen? —interrumpió la señora.

—¿La mamá de Rigoberto? —mi madre la miró con extrañeza—. Qué raro.

Creí que estaba viviendo en Chicago con sus otros hijos.

—Bueno, pero ustedes sí que son raros; solo hacen observaciones y no dan ni un besito de bienvenida —suspiró la anciana.

—No diga eso. Nos alegra que esté aquí. Es solo que no la esperábamos… ¿Vio a mi marido?

—Sí, él me dejó pasar.

Para ese momento yo ya no entendía nada en absoluto, y el miedo comenzó a recorrerme las entrañas. De pronto teníamos en la casa a una señora que decía ser la abuela, pero por lo que había visto no lo era ni por parte de mi madre ni por parte de mi padre. Definitivamente habría problemas.

—Tengo que hablar contigo —le murmuré a mi hermano.

—Nerdeto, ni se te ocurra decirme nada, te lo advierto —Rodrigo me miró con ojos de furia.

—No, no es sobre tu pelo, sino algo mucho más serio.

Mientras mi madre terminaba de instalar a la abuela (en nuestro cuarto), le expliqué a Rodrigo la llegada de la anciana y cómo fue que mi padre creyó que era su suegra.

—Hay varias opciones —reflexionó Rodrigo después de oír el enigmático relato—: o alguno de los dos se niega a aceptar que es su madre, o a lo mejor no es exactamente la abuela, sino la tía de alguno de ellos, y como no la han visto desde niños, no la reconocen.

—¿Tú crees?

—Sí, claro, y en todo caso, si al final resulta que no es de la familia, entonces esto se va a poner divertido —sonrió.

Y efectivamente se puso muy entretenido cuando al fin llegó mi padre y comenzaron las aclaraciones con mi madre. Los dos juraron bajo palabra de honor que no era la mamá de ninguno de ellos, ni tampoco la tía, la madrina o la prima lejana.

La única solución era entonces preguntarle directamente a la anciana quién era y cómo es que supuestamente se emparentaba con nosotros.

—Ya les dije, soy la abuela —respondió con necedad.

—Deje de decir eso. Usted no es mi madre —aclaró mi padre.

—Ni la mía —dijo mi madre.

Entonces a la anciana se le llenaron los ojos de lágrimas.

—¿Por qué me dicen esas cosas tan feas? ¿Quieren correr a la abuela? ¿Ahora? ¿En medio de la lluvia? ¿Por qué son malos conmigo? ¿Qué les he hecho?

Había dos verdades en todo aquello. La primera: afuera llovía demasiado como para botar a alguien, y la segunda: la anciana definitivamente no era pariente nuestra. Teníamos gente rara en casa, pero no tanto.

—Lo que nos faltaba: nos agenciamos una loca —murmuró mi padre.

—No le digas así —le reprochó mi madre—. A lo mejor iba a otro edificio, pero por su edad se confundió.

Intentaron preguntarle si tenía alguna dirección o teléfono, pero la anciana negó todo, asegurando que nosotros éramos su familia (y una muy mala, por cierto).

—No podemos echarla a la calle a esta hora —se compadeció mi padre—. Esperaremos hasta mañana y les preguntamos a los vecinos. Ya verán que aparece su verdadera familia.

A todos nos pareció buena solución. Mientras tanto, la anciana se instaló en el departamento, se puso de buen humor y hasta nos dio más regalos. Un reloj a mi madre, un estuche de pañuelos a mi padre y un collar con colmillos de piraña a mi hermano Rodrigo.

Aunque la abuela parecía pacífica, la verdad es que esa noche nadie durmió. Bueno, ella sí. Hasta roncó muy sabroso. Al día siguiente fuimos a los departamentos del edificio a investigar si alguien estaba esperando a una abuela o la tenía extraviada. Preguntamos a don Chava, el carnicero; a doña Tolita, la que vendía cenas, y a los gemelos del 301, pero nadie estaba esperando a ninguna abuela como la que teníamos en la casa.

La unidad tiene doce edificios, y cada uno, diez departamentos. Habría sido un trabajo muy pesado recorrerlos todos. Además, en algunos lugares no nos atrevíamos a entrar, sobre todo donde vivían los Frutilupis.

Al final decidimos tomarle una foto a la anciana, la pegamos en un papel, le sacamos copias y la colocamos en todos lados. El anuncio decía: "Abuela perdida busca a su familia. Mayor información en edificio H, departamento 102, con los Santoyo".

Como nos daba tristeza correr a la anciana o llamar a la policía para que se la llevara, decidimos quedarnos con ella mientras aparecía el dueño, digo, los familiares.

Más rara
que un perro azul

PASARON algunos días y nadie nos llamó para reclamar a la anciana. A mí no me molestó, pues nunca había tenido una abuela. Yo siempre me las había imaginado como señoras que permanecen en estado vegetativo y solo se despiertan para tejer bufandas. Pero doña Lupita (así se llamaba "nuestra" abuela) era muy activa: le gustaba participar y opinar de todo, y se me hace que con demasiado entusiasmo.

—Hoy les toca lavar los trastes a los muchachos —dijo una mañana cuando terminamos de desayunar.

Mi hermano y yo nos miramos, extrañados. Por lo general mi madre se encargaba tanto de recoger la mesa como de lavar los trastes.

—¿Ah, sí? —rio mi hermano—. ¿Y dónde dice que nos toca?

—Ahí —la abuela señaló a la pared.

Entonces descubrimos un cartel hecho a mano que decía "Nuevo Orden Familiar", y que incluía una tabla con el nombre de cada quien y las actividades que le correspondían por día: desde lavar baños hasta tender la ropa o sacudir los tapetes.

Mi hermano y yo creímos que se trataba de una broma. Siempre habíamos pensado que para todo eso estaba mi mamá (incluso en ese momento, que estábamos de vacaciones). Pero según la abuela, nuestra forma de pensar era anticuada, machista, reaccionaria, clasista y burguesa.

La verdad es que ni siquiera mi madre entendió la mitad de aquellas palabras tan raras. Según yo, las abuelas por lo general hablaban de la reuma, de qué caras están las medicinas o de cuál es el mejor pegamento para dientes que hay en el mercado. Pero esta abuela soltaba sermones sobre la explotación de la mujer y las masas oprimidas.

—Ha de ser comunista —dijo mi padre, asustado.

Le recordé que tanto los comunistas como los dinosaurios estaban prácticamente extintos del planeta Tierra.

—Pues sea lo que sea, nadie me dice en mi casa lo que debo hacer —gruñó mi padre.

—Tal vez no es tan mala idea la del calendario —intervino mi madre—. Si todos ayudaran en la casa, estaríamos mejor.

Pero mi padre se negó rotundamente a hacer cambios, y menos inventados por una señora senil que pretendía organizarnos la vida. Quitó el cartel y prohibió tocar el tema de repartir labores domésticas entre los hombres de la casa.

La abuela ni siquiera se mosqueó. Parecía entrenada para el rechazo, así que

cambió de plan y le dijo a mi madre:

—No es justo que además de trabajar, como él, seas la única que hace limpieza. Si yo fuera tú, no me dejaba. Debes defender tus derechos; mira, te he escrito una canción.

—¿A mí? —mi madre la miró sorprendida.

—Sí, es una canción de protesta, donde te quejas de tu explotación doméstica.

Sinceramente, a mí se me hizo algo exagerado. Vamos, yo pensé que las canciones de protesta eran para huelgas o manifestaciones contra un mal gobierno, pero no para convencer a alguien de que lo ayudaran a lavar trastes, a menos que se estuviera loco o que…

—Es una auténtica *beatnik* —aseguró mi hermano Rodrigo—. Por eso actúa tan raro. De seguro de joven anduvo montada en una moto cruzando el país y viviendo en comunas.

—¡Dios mío! Eso de *beatnik* es como una secta, ¿no? —preguntó mi madre, algo asustada.

—Creo que eran como los padres de los jipis —agregó mi hermano algo dudoso.

¡Ahora resultaba que la ancianísima abuela Lupita era más moderna que todos nosotros!

—Qué jipi ni qué ocho cuartos —intervino mi padre, ya molesto—. Lo que pasa es que ya está vieja y chochea con la edad. Eso es lo único que le pasa.

Pero la verdad es que yo confiaba más en la versión de mi hermano, pues la abuela era más rara que un perro azul. No comía azúcar refinada ni carne roja; en las tardes entraba en estado catatónico, que llamaba meditación, y le gustaba oír rock del año del caldo. Pero lo que rebasó mi capacidad de sorpresa fue cuando descubrí que era capaz de llevarse bien con mi hermano. Y eso era una hazaña casi inaudita, pues yo tenía toda mi vida, es decir, nueve años, intentándolo, y ya me había dado por vencido.

Aquella amistad no fue nada buena, y trajo muchísimos problemas.

Todo comenzó cuando Rodrigo, supe-
rado ya el asunto del pelo verde (la cara
de rabia le duró varios días), un día llegó extrañamente feliz a la casa. Por debajo de la camiseta se le veía una venda
en el antebrazo.

—¿Te lastimaste? —le preguntó mi padre, preocupado. Mi hermano se puso nervioso y balbuceó una explicación. Al parecer fue en chino mandarín, porque nadie la entendió. Entonces mi padre lo obligó a retirarse la venda. En el brazo tenía el dibujo de una enorme serpiente enroscada dentro de una calavera.

—Me lo hizo la abuela —aseguró de inmediato Rodrigo, antes de que le echaran un megasermón.

Y como si su arrugada cara fuera un tiro al blanco, nuestras miradas se clavaron en la abuela Lupita.

—¿Tatuaste al niño? —mi madre la miró incrédula.

—No, yo no fui —aclaró la abuela tranquilamente, para después agregar—: yo solo se lo pagué.

Mi padre abrió los ojos de tal forma que pensé que se le saldrían de las órbitas.

—Bueno, no es lo que se dice tatuaje-tatuaje —aclaró la abuela—. Quedamos en que primero se iba a hacer un dibujo de *henna,* una tinta especial, solo para

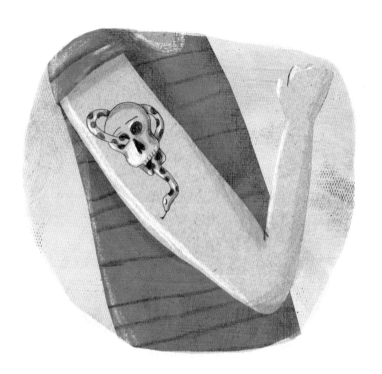

ver si le gusta. Después decidirá dónde lo quiere y de qué tamaño. Se lo voy a regalar de cumpleaños. Ya se lo prometí. ¿No se le ve precioso?

Anciana, metiche, chiflada, *beatnik* y tatuadora. Esos eran demasiados adjetivos calificativos para el sistema nervioso de mi padre, así que estalló:

—No voy a permitir semejantes desfiguros en mi casa. Mis hijos no son rufianes como para que se marquen la piel.

—No seas anticuado —rebatió la abuela—. Los tiempos han cambiado, la juventud necesita expresarse a su manera.

—Eso no es verdad. ¿O entonces por qué el otro no es así?

Y ahora las miradas se posaron sobre mí, como si fuera un insecto listo para el estudio de un grupo de entomólogos.

—No pretenderás que el de nueve se parezca al de dieciséis —observó la abuela—. Y de todos modos, cada quien es diferente y debes respetar sus propios gustos.

Gustos, moda o lo que fuera, mi padre demostró que él era la autoridad en la casa. Primero obligó a mi hermano a que se lavara el dibujo, pero como la tinta era muy resistente, no quedó más remedio que forzarlo a usar camisas de manga larga mientras se borraba la serpiente satánica.

Con el asunto del tatuaje mi padre perdió la paciencia. Según él, la abuela estaba empujando a su familia por la senda del mal: primero a su esposa, al intentar que se rebelara contra los hombres de la casa, y después a su hijo, marcándolo como si fuera una vil res (esa fue la expresión que usó). Y antes de que me perdiera a mí, mi padre tomó una decisión:

—Tenemos que correrla —le dijo a mi madre en voz baja—. Quiere controlar a mi familia. Es un peligro para todos.

—No es verdad —la defendió mi madre—. Ella solo quiere que seamos más felices. Se preocupa por la familia.

—Lo que quiere es destruirnos —insistió mi padre.

Finalmente, y tras las súplicas de todos, mi padre accedió a que la abuela Lupita permaneciera unos días más en casa, con la condición de que alejara su dañina influencia de nosotros.

—Le diremos que tome paseos por la unidad para que le dé el sol —dijo—. ¿Cómo la van a reconocer sus familiares si siempre está aquí encerrada?

Creo que en el fondo mi padre tenía la ilusión de que la abuela Lupita se volviera a perder, y entonces dejáramos de verla para siempre.

A la mañana siguiente la llevamos a los andadores de la unidad para que tomara largos paseos. Por un lado, mi padre descansó de no tenerla en casa con sus extravagancias, pero fue una calma engañosa, pues al poco rato el remedio resultó ser muchísimo más desastroso que el problema original.

La Loca de la Bolsa Negra

No sé cómo no lo previmos, pero dejar suelta a la abuela en la unidad era como encender una veladora en una gasoline-ra. Tarde o temprano aquello terminaría por explotar. Era evidente que a la abue-la Lupita le fascinaba meterse en todo, pero lo que más le gustaba era localizar un problema y ofrecerse a resolverlo sin pedir opinión a los demás. Así que en la unidad no batalló demasiado para sentir-se útil. Había muchas fallas, y ella solita asumió el papel de *sheriff*.

Se le ocurrió que su primera misión sería rescatar las jardineras, que estaban todas llenas de basura, así que empezó a limpiarlas, y cuando descubría que alguien tiraba un papel, era capaz de perseguirlo por toda la unidad para devolvérselo. Lo hizo incluso con los niños que arrojaban envolturas de dulces. Muchos de ellos empezaron a tenerle tanto miedo que le pusieron el apodo de la Loca de la Bolsa Negra.

—Por mí, que me digan como quieran —se encogió de hombros—, con tal de que no tiren basura.

También se interesó por los andadores

de la unidad. Por ejemplo, descubrió que algunos vecinos se habían adueñado de parte de las banquetas para usarlas como estacionamiento.

La abuela Lupita tomó un plumón y escribió notas en los parabrisas de los coches. Decían: "Mal estacionado", "No subirse en el andador", "No invadas zonas prohibidas".

El peor enfrentamiento lo tuvo con una señora que estaba quemando papel

periódico y revistas fuera de su casa.

—¿Y a usted qué le importa lo que hago? —dijo la vecina sin inmutarse—. Son mis cosas y puedo hacer lo que quiera con ellas.

—Pero el aire que contamina es el que respiramos todos —y diciendo esto, la abuela arrojó una cubeta de agua a la pira.

No tardaron en llegar las quejas a la casa. Parecíamos una oficina de reclamaciones: que si la abuela Lupita había regañado a un niño, que si le dio un bolsazo a un señor, que si amonestó a una señora que lavaba sus ventanas a manguerazos, etc.

—Nosotros no tenemos la culpa. Además, ella ni es de la familia —aclaró mi padre en un intento de deshacerse del problema.

Pero a nadie le interesó si la anciana era adoptada, robada o prestada. Vivía con nosotros, y por eso éramos responsables de ella y teníamos que detenerla. Prometimos hablar con ella y hacerla entrar en razón, para tranquilidad de todos.

—Debe dejar lo que está haciendo —la amenazó mi padre, como si fuera una adolescente que hubiera hecho travesuras—. ¿No se da cuenta de que los vecinos no quieren que se meta con ellos?

—¡¿Y ustedes no se dan cuenta de que viven en un muladar?! —replicó la abuela—. Todos sus vecinos son muy desorganizados y sucios.

—Eso ya lo sabemos —reconoció mi madre—, pero no se puede cambiar a la gente.

—Claro que se puede —exclamó la abuela—. Es cuestión de ponernos de acuerdo. ¡Es por el bien de todos!

Mis padres se miraron con cara de desesperación.

—Usted no tiene autoridad para cambiar nada —le recordó mi padre—. Y sin autoridad, está cometiendo un delito al meterse con los demás.

La abuela se quedó en silencio y no volvió a hablar el resto del día. Creímos que había entendido perfectamente el punto de no meterse en asuntos a los que nadie la llamaba. Pero al día siguiente nos despertamos con la sorpresa de que la abuela Lupita había preparado su defensa. Había pegado una carta en la puerta

principal de todos los edificios. El documento decía:

Por medio de la presente, se avisa que a partir de ahora la familia Santoyo, del edificio H, departamento 102, se hará cargo de la administración de la unidad. Por lo tanto, se solicita cooperación para su saneamiento.

—¿Cómo se le ocurre decir que somos los administradores? —exclamó mi padre, aterrado.

—Alguien tenía que hacerlo —contestó la abuela tranquilamente—. Además, usted bien lo dijo, no teníamos autoridad, pero ya la tenemos. Y no le quitamos el puesto a nadie, pues no había administrador.

—Es que nadie quería enfrentarse con la gente —suspiró mi madre.

—Solo nos vamos a ganar más problemas —aseguró mi padre.

Así fue. Para empezar, circularon los rumores de que estábamos pidiendo dinero porque de seguro queríamos hacer algún fraude. Para detener los chismes, la abuela Lupita volvió a redactar otra carta, en la que había una lista de pendientes para la unidad y el costo aproximado de cada uno: se necesitaban focos, pagar para que limpiaran las coladeras, contratar al basurero para que recogiera todas las bolsas de desperdicios, llamar a la delegación para que se llevaran dos autos chatarra abandonados, buscar una compañía de control de plagas, impermeabilizar, sembrar pasto, componer las cerraduras de las entradas… La lista continuaba por páginas y páginas, como si se tratara de una carta a los Santos Reyes.

A pesar de eso, solo recibimos dos aportaciones: la del carnicero don Chava y la de Estelita, la señora de la estética. Y eso, la verdad, no servía ni para los chicles. Pero la abuela Lupita parecía hecha para soportar cualquier tormenta. Encontró la solución y escribió otra carta:

Por medio de la presente se les informa a aquellos vecinos que no tengan dinero que podrán prestar su mano de obra para hacer trabajos en beneficio de la unidad.

Pero eso resultó peor, porque nadie se ofreció ni siquiera a barrer.

—Nosotros debemos poner el ejemplo —razonó la abuela Lupita—. Hay que empezar a destapar las coladeras.

Mi padre, Rodrigo y yo nos miramos con terror. Aquello sonaba repugnante. Había ratas y quién sabe cuántos cultivos de enfermedades infecciosas flotando en ese caldo sucio.

—Véanlo por su propio bien —dijo la abuela—. Si esto sigue así, todos se van a enfermar.

En eso tenía razón. Había justo una coladera bajo la ventana de la sala, y teníamos que tener las ventanas cerradas todo el día para que no entrara el tufo a caño.

Decidimos que no teníamos nada que perder al intentarlo (mi hermano aceptó solo porque podría trabajar con camisa de manga corta y presumir su tatuaje temporal).

Nos calzamos botas de hule, cubrebocas y guantes. Como herramientas llevábamos palos de escoba y ganchos de ropa. Más que personas que van a destapar una coladera, parecíamos de esos extraterrestres de las películas chafas.

Yo creo que los demás se compadecieron al vernos sumergidos en la inmundicia, porque al final don Fermín y el señor Chava se acercaron a ayudarnos.

Este último recordó que tenía una pala y una carretilla. Con ellas fue más fácil depositar el lodo y la basura. La coladera quedó destapada, y por primera vez en semanas mi madre pudo abrir la ventana de la sala.

Así, lentamente, la gente empezó a cooperar. Unos dieron pintura que les sobraba; otros, focos para colocar en los pasillos, y otros más se ofrecieron a hacer trabajos voluntarios. Pero no fue tan fácil. Había algunas personas que no estaban de acuerdo con los cambios, y al parecer, cuanto más luz había en los pasillos, menos claro veían.

Entre los rebeldes estaban los Frutilupis. Incluso escribieron sobre la pintura nueva de las paredes y arrojaron latas de cerveza en las jardineras, aunque siempre negaban que fueran de ellos, y no teníamos pruebas, hasta que la abuela descubrió a uno, llamado el Memelas, rompiendo uno de los focos del pasillo.

—¡Así te quería agarrar! —le gritó la abuela.

Pero al Memelas no se le vieron ganas de sentarse a platicar sobre su mala conducta, así que se fue. La abuela lo siguió, y yo a mi vez fui tras la abuela para evitar que se metiera en más problemas.

Entonces llegamos a la zona prohibida: las canchas, donde los Frutilupis eran los verdaderos amos del territorio. Y ahí estaban sentados. Eran como una docena. Fumaban, oían música y bebían cerveza. Aunque siempre me habían parecido una especie de rudos criminales, de cerca me di cuenta de que apenas si eran más grandes que mi hermano.

—Vámonos —le dije a la abuela.

Me estaban temblando las rodillas, y tenía la boca seca de solo estar cerca de ellos. Pero la abuela Lupita no se movió. Al parecer no sentía ningún miedo. Recordé la teoría de mi hermano: seguramente en su juventud la abuela *beatnik* se había enfrentado a las peores pandillas de motociclistas.

—Qué raro. Son los únicos que no he visto cooperando en la unidad —les dijo—. ¿Qué les gustaría más: sembrar pasto o lavar los tinacos?

Pero fue como si hablara en suajili, porque nadie se dignó siquiera a verla.

—A lo mejor están muy cansados para ayudar —siguió la abuela—. Deberían irse a descansar a su casa. ¿Por qué no nos dejan la cancha para limpiarla?

Entonces saltó uno de ellos, al que le decían la Liendre.

—Este lugar es nuestro —aseguró.

—¿Ah, sí? ¿Me podrían enseñar sus escrituras? —pidió la abuela.

—Estas son —la Liendre sacó una pequeña navaja.

La abuela ni siquiera pestañeó.

—Qué curioso —dijo—. Yo tengo unas escrituras parecidas. La abuela sacó de su bolsa la navaja con que mi padre iba a rasurar a mi hermano. Todos se rieron por la ocurrencia o por la osadía de la anciana.

—Miren, muchachos, yo no quiero ningún problema con ustedes —aseguró la abuela—, pero si quieren la cancha, entonces tendrán que ganarla.

—¿Cómo que ganarla? —preguntó el Memelas.

—Sí, vamos a jugarla en un partido de futbol. El que gane será el dueño de la cancha, y nadie se meterá después con el vencedor, se lo prometo.

No tenía la menor idea de por qué la abuela había dicho eso. Pero luego me di cuenta de que había cambiado el enfrentamiento rudo por otro en términos deportivos.

Los Frutilupis discutieron un rato entre ellos. Me imaginé que al final aceptarían, pues de todos modos no tenían mucho que hacer. Y así fue. Se tomó la decisión de que el partido se jugaría el siguiente fin de semana.

Realmente admiré a la abuela Lupita: gracias a ella me había podido enfrentar a los Frutilupis, pero no había perdido ni una sola gota de sangre. Una verdadera hazaña.

La guerra
contra los Frutilupis

MIENTRAS llegaba la fecha del partido (sábado), hubo una especie de tregua con los Frutilupis, que no se metieron con nadie. Los cambios en la unidad comenzaron a notarse. Fue increíble que con sacar la basura, lavar las escaleras y pintar las paredes, la unidad parecía otra. Ya no daba miedo salir en las noches y se podía caminar sin temor a caerse entre la basura o encontrarse con una familia de roedores rabiosos.

Además descubrimos que podíamos recibir apoyo a través de la delegación. Nos dieron parte del impermeabilizante, destaparon el resto de las coladeras, repararon algunos de los barandales de las jardineras, y hasta nos felicitaron por haber puesto en práctica el reglamento de condóminos.

Nadie sabía que existía un reglamento para convivir con los vecinos. Habíamos vivido realmente en la penumbra. Hasta desconocíamos que la unidad tenía nombre, y se volvió a pintar en la entrada con letras rojas: "Unidad 16 de Septiembre". Todo habría sido perfecto, si no fuera porque teníamos pendiente el partido contra los Frutilupis. Nos costó mucho trabajo reunir el equipo de futbol. Nadie quería jugar contra ellos: les tenían miedo.

Mi hermano fue de los primeros en apuntarse, así que para no quedarme atrás yo también me inscribí, aunque me estaba muriendo de pánico. Entraron también el hijo de Estelita y los gemelos del 301. Así, poco a poco completamos el equipo.

La verdad es que no éramos buenos, pero confiábamos en que los Frutilupis tampoco lo fueran; a fin de cuentas, con todo lo que fumaban y bebían, su condición física no debía de ser olímpica ni nada parecido.

Llegó el sábado. Casi todos los de la unidad estaban allí. Había más expectación que en los partidos de la selección nacional en el Estadio Azteca. Muchos sacaron sillas y mesitas para la botana. También se hicieron pancartas de apo-

yo, y hasta se improvisó una porra para nuestro equipo.

Cuando Rodrigo salió a la cancha, apareció arreglado justo como a él le gustaba: una camisa de manga corta que dejaba ver el tatuaje temporal, y un corte de cabello en el que solo sobresalía un mechón erizado al frente de la cabeza.

Al verlo, la cara de mi padre adquirió un color parecido a una berenjena, pero se contuvo para no hacer un escándalo en público.

—Déjalo —pidió mi madre—. Se ve tan contento…

Era cierto. Mi hermano se sentía realizado y no desentonaba: todos saben que algunos jugadores de futbol tienen desde cabello con trencitas de colores hasta *piercings*, y nadie les dice nada.

El partido fue durísimo, y no es porque fuéramos muy buenos para jugar, sino muy mañosos. Hubo patadas, codazos y piquetes de ojos, aunque la trampa mayor la hicieron los Frutilupis al poner como árbitro a uno de ellos al que le decían el Sope. Creo que no he visto en mi vida sope más mañoso: nos marcaba fuera de lugar en todo momento, y jamás señaló las faltas de la Liendre.

La gente empezó a chiflar enojada. Entonces la abuela Lupita decidió meterse.

—Basta, yo voy a ser el árbitro —lo dijo tan decidida que nadie se atrevió a contradecirla.

Así que con un mejor arbitraje (aunque la abuela no veía muy bien de cerca) el partido se puso buenísimo. Pasaron cosas inauditas; entre ellas, que yo metí un gol. Creo que ese será uno de los grandes misterios de mi vida. Jamás supe cómo fue que la pelota rebotó en mi rodilla y fue a parar en la portería del equipo contrario, pero de todos modos fue muy emocionante, y desde entonces hasta mi hermano me empezó a ver con más respeto.

Las cosas se complicaron en el segundo tiempo. Comenzó a llover durísimo, pero no se canceló el partido. Estábamos muy entretenidos. Hasta la abuela Lupi-

ta seguía corriendo empapada en la cancha como si fuera un niño. Por desgracia, ninguno de nuestros esfuerzos valió la pena. El marcador fue de 3-2 a favor de los Frutilupis.

Descubrí que eso de que al final ganan los buenos solo ocurre en las películas. Pero lo peor de esa tarde no fue haber perdido las canchas o ser humillados en público, sino que, con la empapada, la abuela Lupita se enfermó. Esa misma noche tuvo muchísima fiebre. Al día siguiente no podía levantarse.

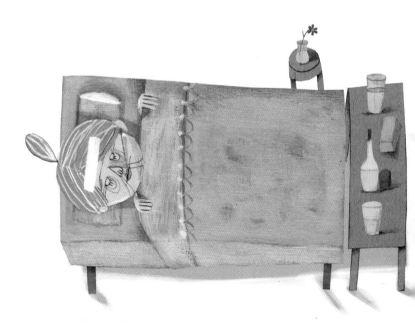

Corrió la noticia y la gente fue a visitarla para llevarle remedios: que miel para la tos, vitaminas para las defensas, ungüentos y emplastos. Hasta el Memelas pasó a ver cómo seguía y le llevó una tisana para aliviar la garganta de parte de su mamá.

La abuela parecía un pajarito roto debajo de las cobijas; era difícil de creer que esa anciana tan pequeña hubiera estado dando órdenes en toda la unidad. Como vimos que no mejoraba, mi padre mandó llamar a un médico. Nos enteramos de que tenía neumonía, así que lo mejor era llevarla a un hospital. Ella se negó. Dijo que si se moría quería estar al lado de su familia. De solo oír eso, todos nos soltamos a llorar como si en verdad fuera nuestra abuela.

No sé si por respeto, culpa o simplemente porque estaban muy cansados tras el partido, los Frutilupis habían decidido no molestar a nadie por el momento. En la unidad se respiraba un aire de tristeza. Parecía cementerio.

Entonces a alguien se le ocurrió poner un poco más de acción. El jefe de los Frutilupis, o sea, la Liendre, fue a visitar al jefe de nuestro equipo de futbol, o sea, mi hermano Rodrigo.

—Venimos a ver si quieren jugarse la revancha —propuso la Liendre.

¿Habíamos oído bien? ¿Querían seguir jugando futbol? A lo mejor habían descubierto que era más divertido usar las canchas para jugar que para fumar.

—Pero el árbitro lo ponemos nosotros —condicionó mi hermano.

Y así fue como se jugó el partido de la revancha. En esa ocasión ganamos 1 a 0. El gol lo metió uno de los hijos del carnicero don Chava, que resultó ser un delantero excelente.

Al final los Frutilupis no estaban nada contentos y pidieron un partido de desempate. Nosotros aceptamos, pues eso significaba que seguiríamos jugando.

Entonces sugerí que para que hubiera más partidos, podíamos organizar un torneo en el que cada edificio de la unidad tuviera su propio equipo, y por ronda de eliminatorias surgiría el ganador. A todos se les hizo una gran idea, así que nos pusimos a entrenar. Los Frutilupis no eran tan malos como habíamos pensado, y hasta le dijeron a mi hermano que su nuevo peinado estaba muy chido.

Todos los días llegábamos a platicarle a la abuela de los partidos y de cómo la unidad seguía muy bien: que a alguien se le había ocurrido hacer letreros para que no nos olvidáramos de mantener limpias las jardineras, o que varios ya se habían ofrecido a ser los administradores después de que terminara nuestro periodo.

Con tal de que la abuela estuviera contenta y se mejorara, mi hermano y yo le ayudamos a lavar los trastes a mi madre (y aunque mi padre siguió criticando el peinado de Rodrigo, ya no lo obligó a que se lo cambiara).

Creo que esa fue la mejor medicina, pues poco a poco la abuela Lupita se fue recuperando, y un día finalmente pudo levantarse. Estaba muy delgada, pero tenía una gran sonrisa. La gente volvió a visitarla, pero ya no para darle remedios, sino para llevarle regalitos.

Creímos que todo seguiría igual que antes. Ya podíamos imaginarla metiéndose en problemas e ideando más planes descabellados.

Pero jamás imaginamos lo que sucedió al poco tiempo.

Una mañana la abuela decidió salir de paseo. Se puso su sombrero de flores y un blusón psicodélico y dijo que iba a tomar el sol. Fue la última vez que la vimos.

Así es. La abuela desapareció del mismo modo como llegó. La buscamos por todos lados, dimos aviso a las autoridades y volvimos a poner anuncios con su foto, pero no tuvimos ningún resultado.

Fue un duro golpe para todos, aunque entendimos que posiblemente la abuela había encontrado a su propia familia, o simplemente se había ido a otro sitio donde la necesitaban más que nosotros.

Nadie jamás la olvidó en la Unidad 16 de Septiembre. Incluso alguien escribió

debajo del nombre oficial: "Unidad Lupita". Y así es como todos la llamamos desde entonces.

Unidad Lupita
se terminó de imprimir en octubre de 2012
en Duplicate Asesores Gráficos, S. A. de C. V.,
Callejón San Antonio Abad núm. 66, col. Tránsito,
c. p. 06820, Cuauhtémoc, México, D. F.
En su composición se empleó la fuente
ITC New Baskerville.